SUDOKU

NEW

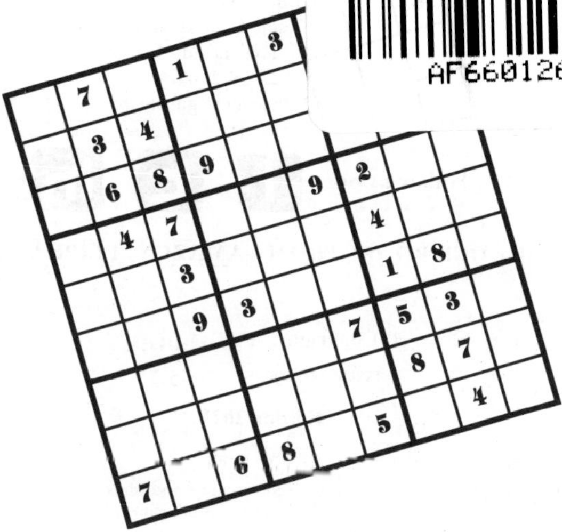

V&S PUBLISHERS

Published by:

V&S PUBLISHERS

F-2/16, Ansari road, Daryaganj, New Delhi-110002
☎ 23240026, 23240027 • *Fax:* 011-23240028
Email: info@vspublishers.com • *Website:* www.vspublishers.com
Online Brandstore: *amazon.in/vspublishers*

Regional Office : Hyderabad
5-1-707/1, Brij Bhawan (Beside Central Bank of India Lane)
Bank Street, Koti, Hyderabad - 500 095
☎ 040-24737290
E-mail: vspublishershyd@gmail.com

Follow us on:

BUY OUR BOOKS FROM: AMAZON FLIPKART

ISBN 978-93-505715-5-2

Edition 2021

Printed at : Param Offsetters, Okhla, New Delhi–110020

SUDOKU

History

Sudoku is believed to have its roots in the mathematical concept of Latin Squares (Latin Squares is used in statistical analysis). **Leonhard Euler**, a Swiss mathematician, in the 1780's developed the idea of arranging numbers in such a way that any number or symbol would occur only once in each row or column.

Sudoku rules add the restraint that each region may only have the numbers (or symbols) occurring but once. **Howard Garns**, an architect from Indianapolis, is credited with creating this rule when he developed the puzzle we know today as **SUDOKU**.

Dell Magazines published the puzzle under the name of **Number Place** for over 25 years. It is a staple of *Dell Magazines* to this day. *Dell Magazines* also publishes several Sudoku books with titles as *Dell Original Sudoku*, *Dell Extreme Sudoku*, and *Dell Maximum Sudoku* to name a few.

Sudoku is definitely an American invention, but the name isn't American. It was introduced to Japan by Nikoli under the name of '*Suuji wa dokushin ni kagiru'*, roughly translating to mean 'the numbers must be unmarried or single'. Thankfully the name has been shortened to Sudoku.

The history of Sudoku continues to expand as **Wayne Gould**, a retired Hong Kong judge, author of *Su Doku The Official Utterly Addictive Number-Placing Puzzle*, first encountered the puzzle in a Tokyo book store. He began to create his own puzzles and was soon addicted like the rest of us. He introduced his puzzles to *The Times*, a British newspaper, as Su Doku. His puzzles first appeared there on November 12, 2004.

The rest is history. The puzzle has crossed the pond back to the United States from England. It now appears in many major newspapers across the United States and even India. Its popularity is increasing with each passing day.

Today you will find not only Sudoku puzzle books, but Sudoku hand-held games, Sudoku board games and a growing list of merchandise pan India and abroad.

Competitions

Sudoku, dubbed as the hottest puzzle sensation since the Rubiks Cube gained worldwide popularity in early 2005. The first World Sudoku Championship (WSC) was held in March 2006 in Lucca, Italy. The fifth WSC was held recently in April 2010 in Philadelphia, USA.

Logic Masters India in association with TechFest at IIT Mumbai, also provides an opportunity to all Indians, irrespective of age to test their logical skills in the Indian Sudoku Championship and then represents India at the WSC.

The 2011 WSC will be in Hungary, alongside the World Puzzle Championship.

Refer to the next page for table –

List of WSC

Year	Place	Country	Individual			Team		
			Gold	Silver	Bronze	Gold	Silver	Bronze
2011		Hungary						
2010	Philadelphia	United States	Jan Mrozowski	Jakub Ondrousek	Hideaki Jo	Germany	Czech Republic	Japan
2009	Žilina	Slovakia	Jan Mrozowski	Branko Ceranic	Robert Babilon	Slovakia	Czech Republic	Serbia
2008	Goa	India	Thomas Snyder	Yuhei Kusui	Jakub Ondrousek	Czech Republic	Japan	Germany
2007	Prague	Czech Republic	Thomas Snyder	Yuhei Kusui	Peter Hudak	Japan	United States	Czech Republic
2006	Lucca	Italy	Jana Tylova	Thomas Snyder	Wei Hwa Huang	-	-	-

SOLVING SUDOKU

Solving Sudoku is a great exercise for the brain. It also helps to learn logical and deductive reasoning skills. Elderly adults can help slow the aging process of the mind. And of course, solving a puzzle is always fun.

But before you start solving the puzzles, you need to be familiar with certain terminologies and types of Sudoku. In this chapter, you will be provided with a brief in this regard along with an example which will guide you how to solve a Sudoku.

Sudoku Terminology

To understand how to play and solve a Sudoku puzzle, we first have to get familiar with certain related terms.

Grids, Cells and Values

The whole puzzle area is called a grid. Typically it is composed of 9x9=81 cells (or squares). Some of the cells are already assigned with values, while others are left blank for players to solve.

	1	2	3	4	5	6	7	8	9
A			6		7		5		
B					8	1			6
C				5			1		4
D	6					8		9	
E					5				
F		9		3					1
G	8		2			7			
H	5			9	3				
I			9		1		4		

Rows and Columns

A Row refers to all cells in a horizontal line. And a Column refers to all cells in a vertical line. There are, obviously, total 9 rows and 9 columns in the puzzle above, and each contains 9 cells. To save confusion, rows and columns are referred by Capitalised Letters and Numbers respectively. For example, cell [G6] means the cell in Row G and Column 6, where there is a value 7 located.

Blocks

The term block is used for a set of nine adjacent cells. For example, Block at cell [A1] refers to the top-left block, which starts at Row A and Column 1.

Unit

Any one column, row or block is called a unit (or a group). Each unit of nine cells must have a unique occurrence of numbers – 1 to 9.

Sudoku Difficulty

People may think that the difficulty of a puzzle is based on the quantity of numbers given initially. This is, however, not always the case. Sometimes, a puzzle with more given numbers may probably be more difficult than another one with less given numbers.

Practically, one of the measures to determine the level of difficulty is to find out which and how many Sudoku strategies are involved in solving a Sudoku. The easiest puzzle may require only the basic techniques to solve. A harder puzzle, on the other hand, tends to require very advanced strategies.

Although it's NOT Mathematics

A Sudoku is a logic-based and not a math-based puzzle. It is possible to create and solve a Sudoku puzzle with letters or even some symbols.

The interesting point is that there are **6, 670, 903, 752, 021, 072, 936, 960** possible Sudoku puzzles. So we can solve umpteen Sudokus a day and there will still be new ones.

VARIANTS OF SUDOKU

It is very hard to give a definitive list or types of Sudoku, as new types are always being invented and come under several names. Here is a list of the types of Sudoku which are most popular:

I. Sudoku

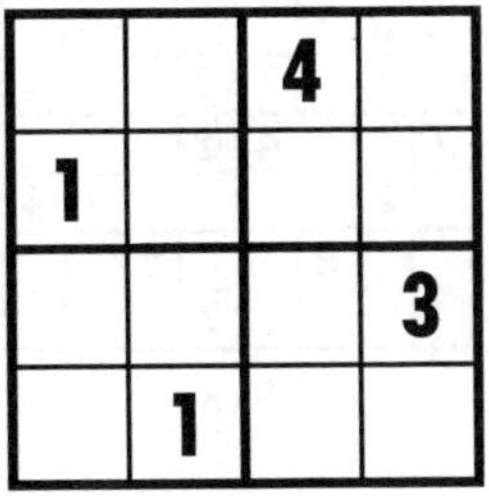

4x4

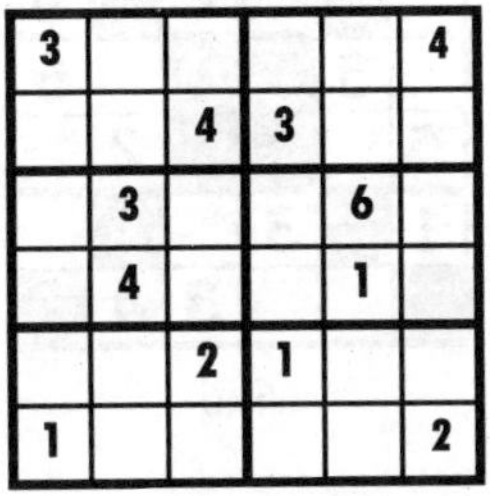

6x6

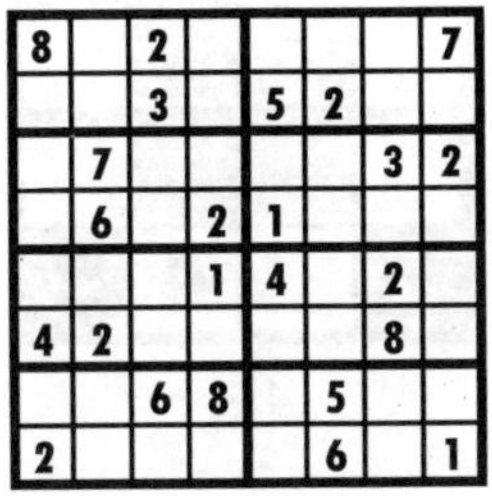

8x8

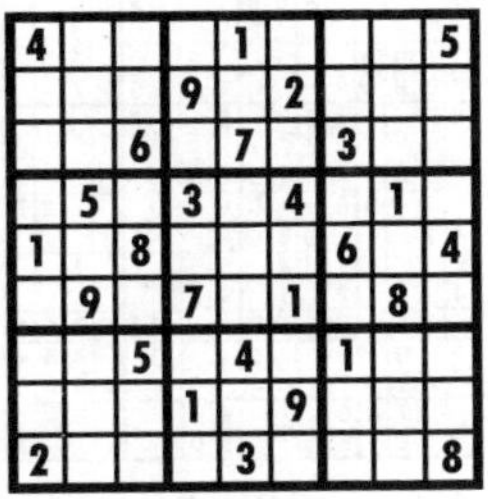

9x9

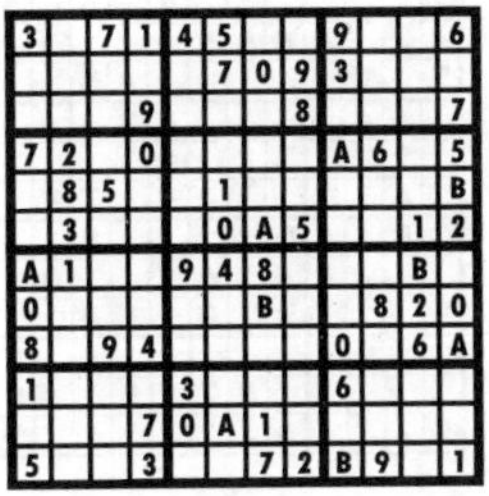

12x12

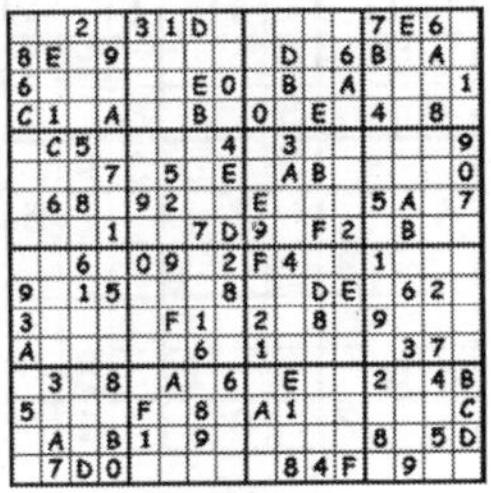

16x16

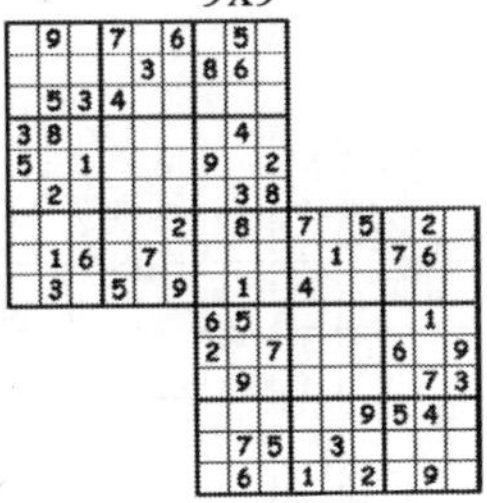

Multi2

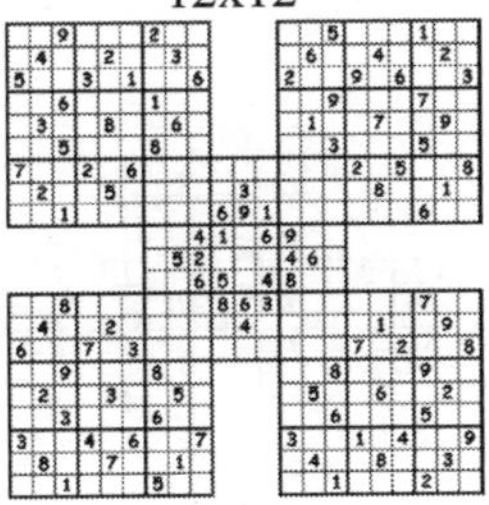

Samurai

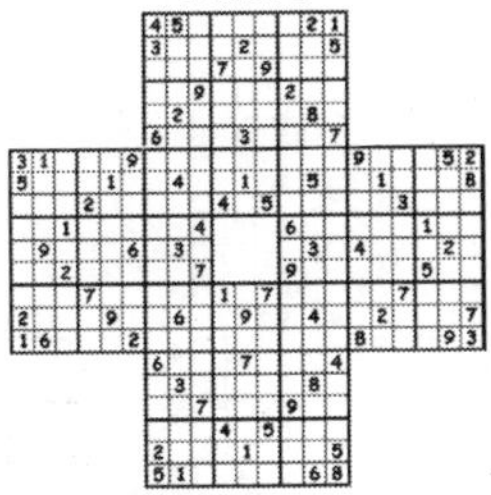

Multi

II. Sudoku X

4x4

6x6

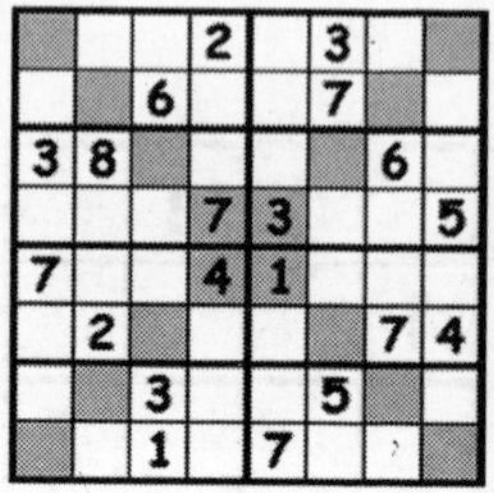

8x8

9x9

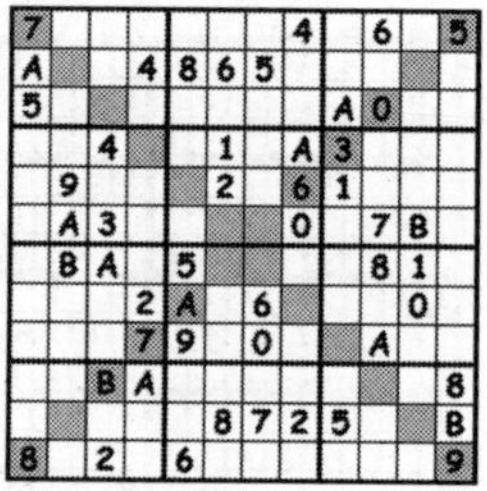

12x12

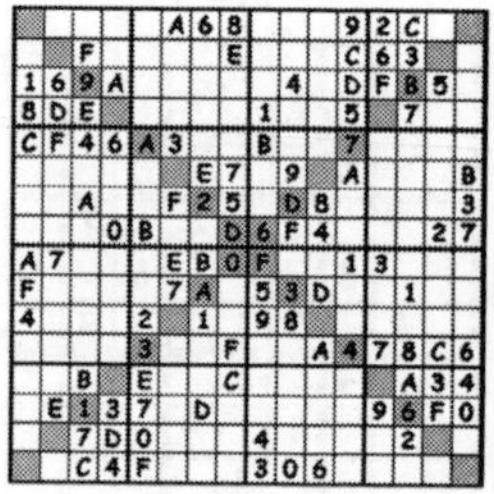

16x16

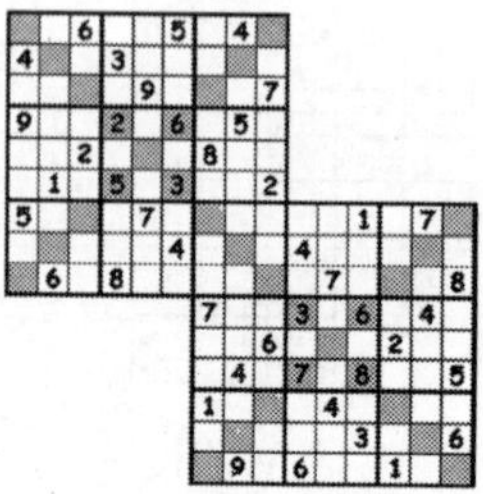

Multi 2

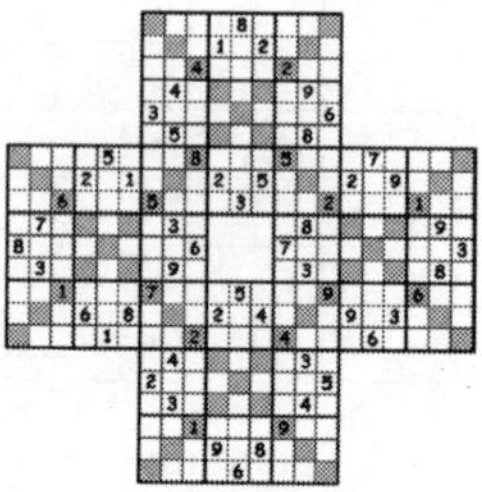

Samurai

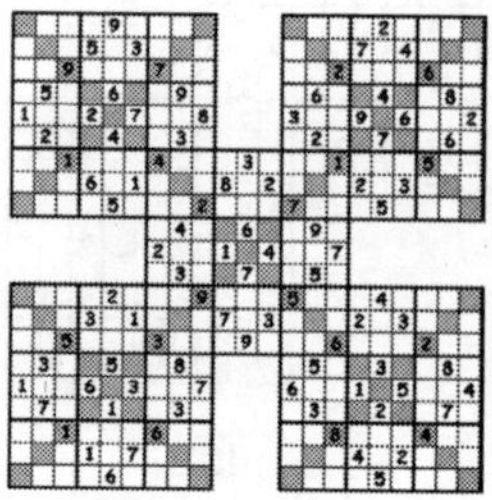

Multi4

III. Alphadoku

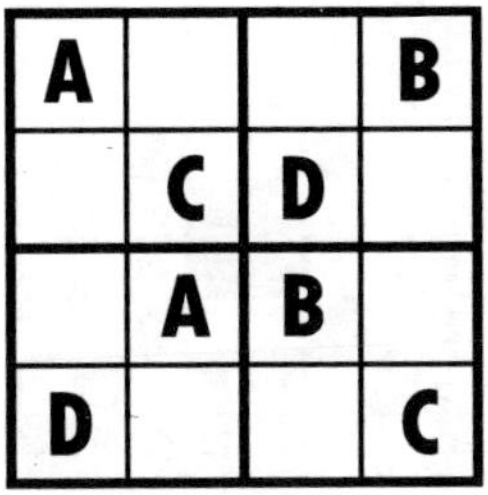

4x4

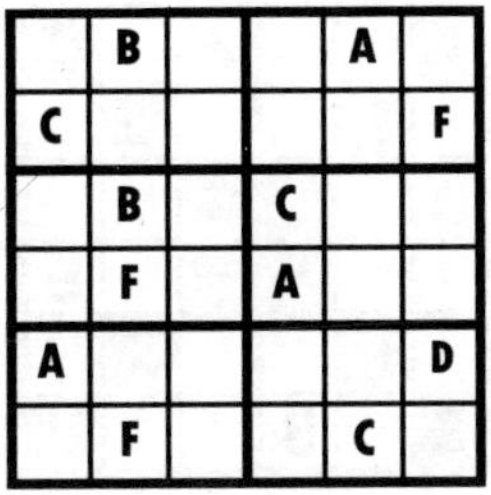

6x6

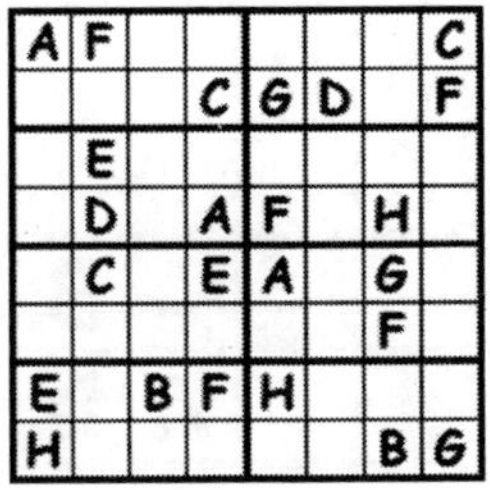

8x8

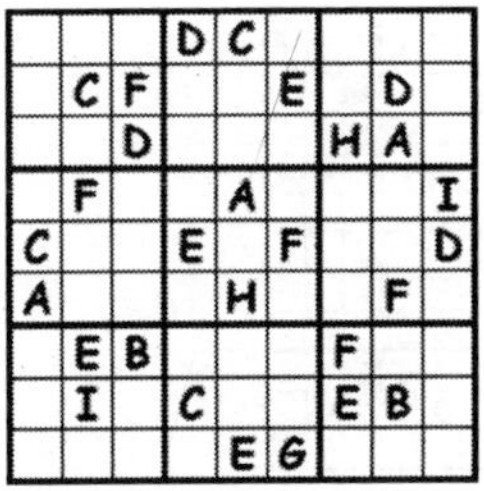

9x9

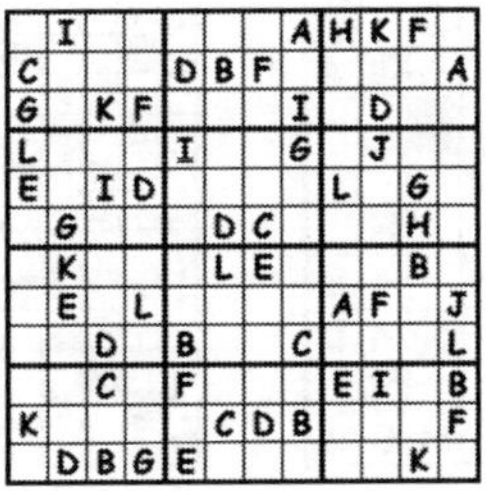

12x12

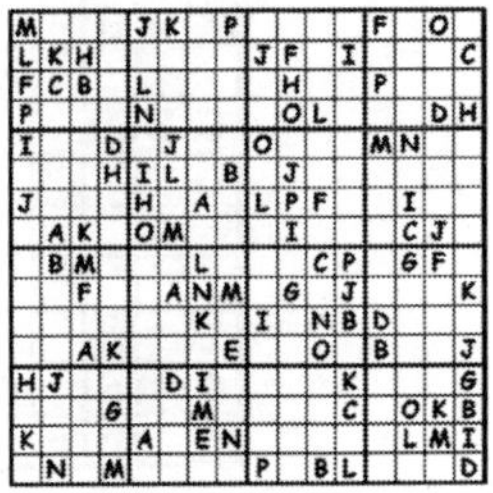

16x16

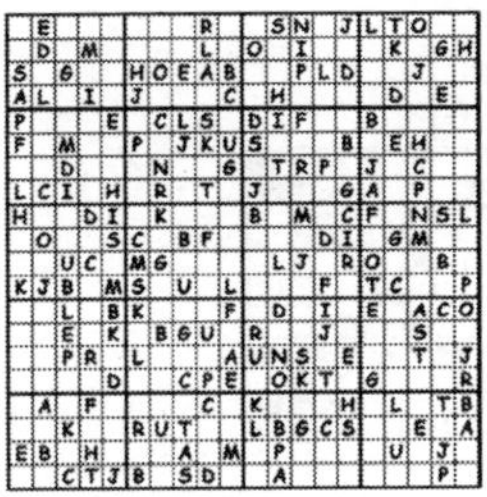

20x20

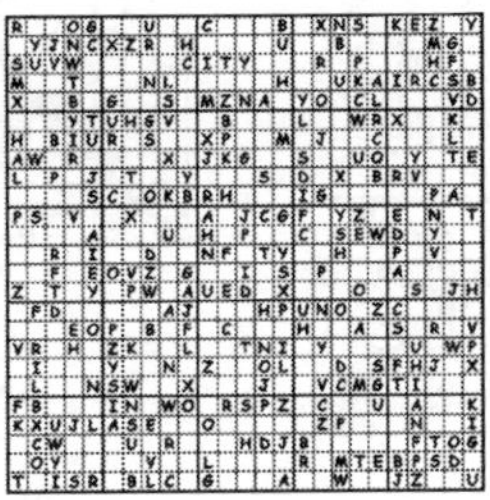

25x25

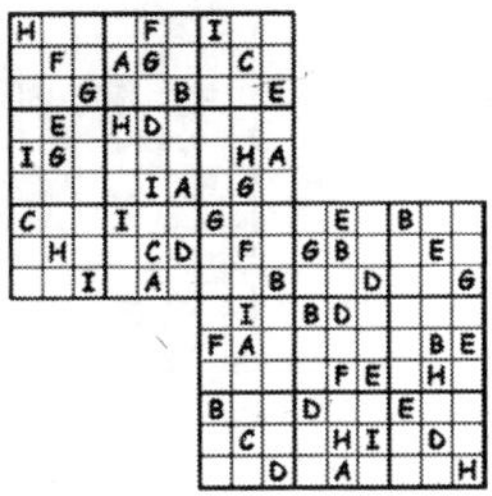

Multi 2

IV. Alphadoku X

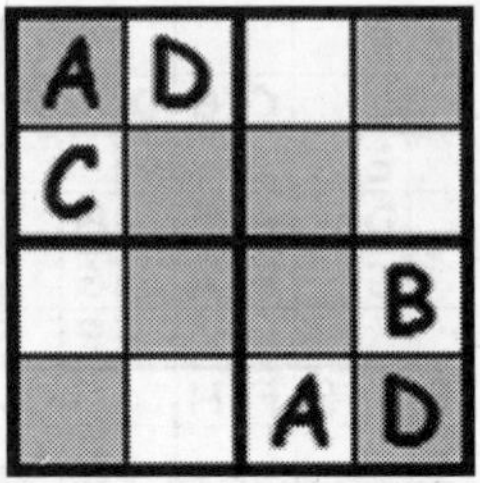

4x4

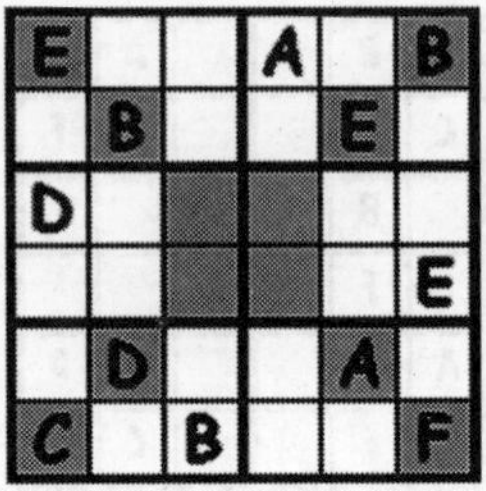

6x6

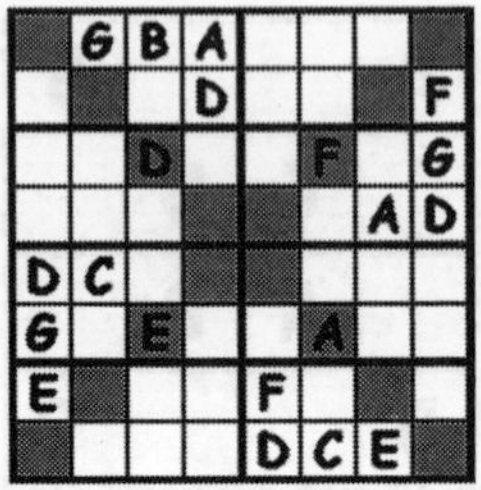

8x8

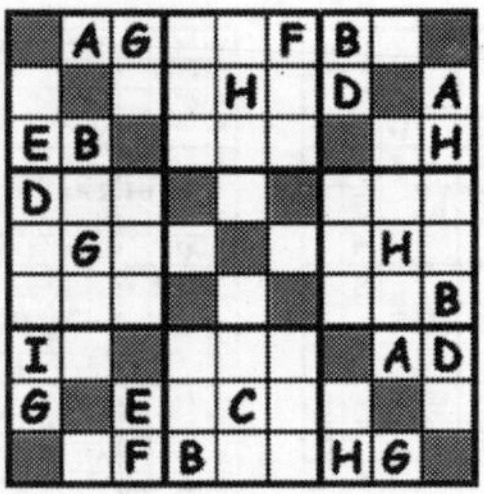

9x9

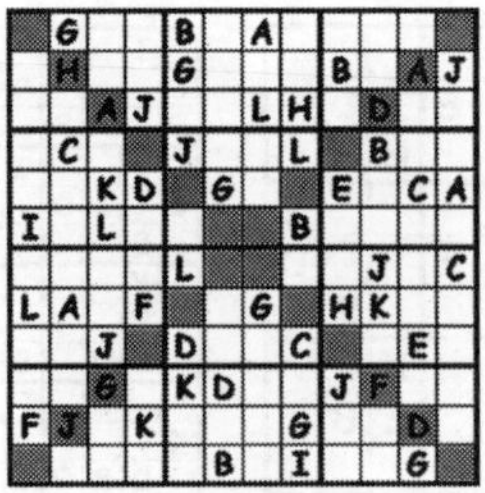

12x12

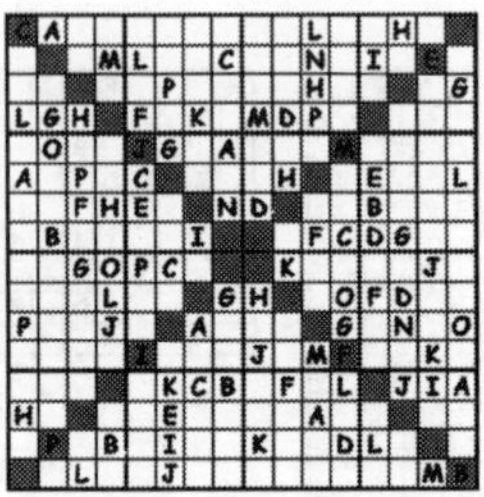

16x16

Multi2

V. Killer Sudoku

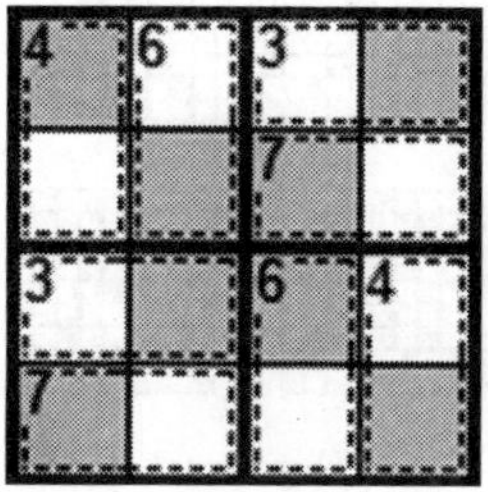

4x4

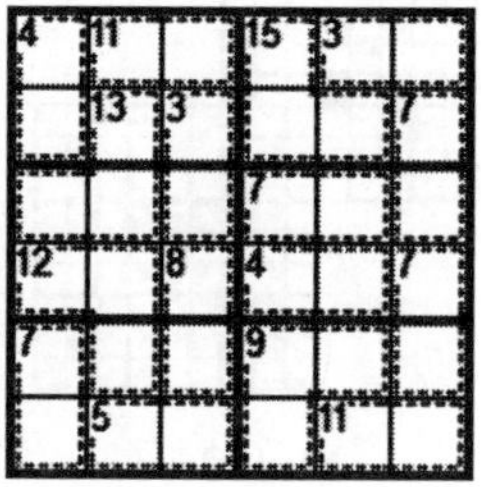

6x6

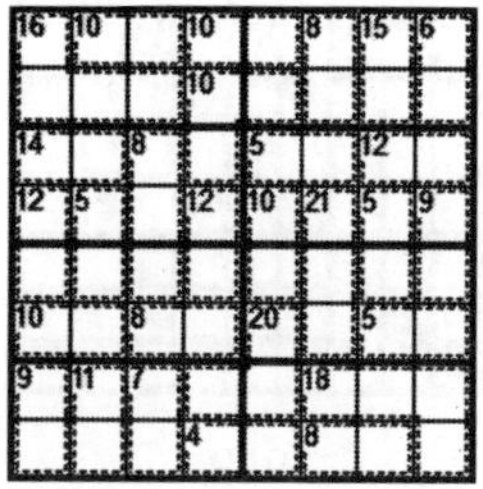

8x8

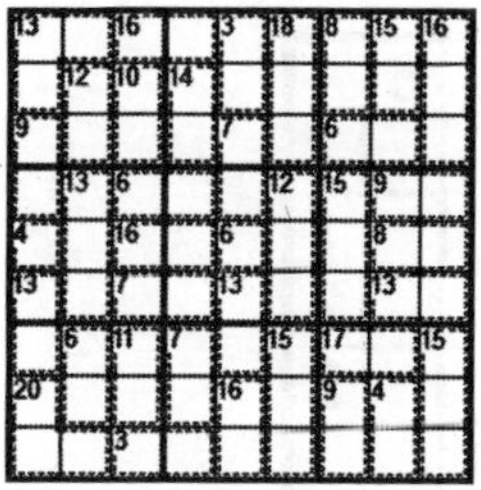

9x9

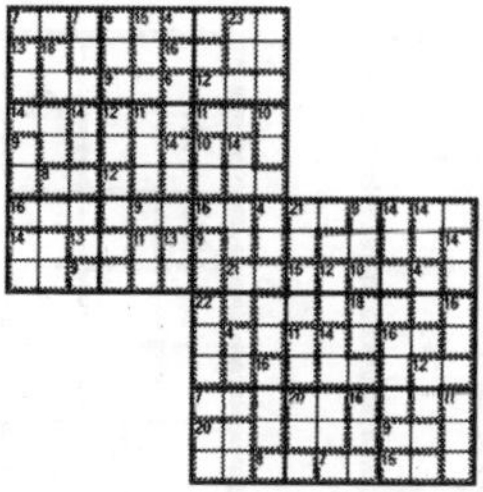

Multi2

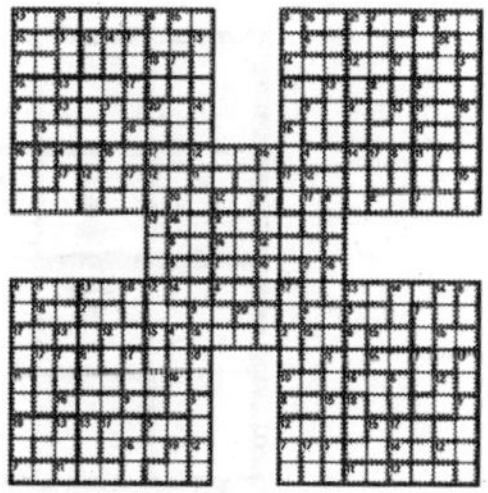

Samurai

VI. Killer Sudoku X

4x4

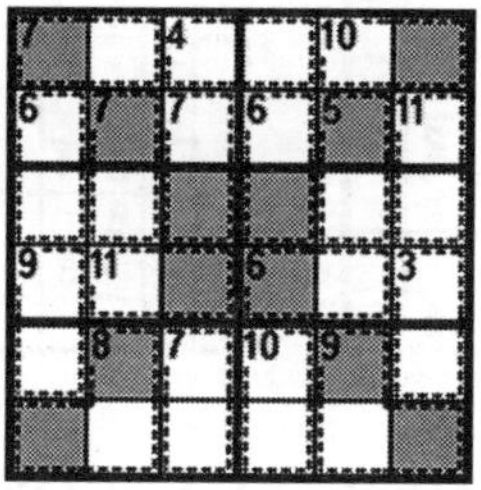

6x6

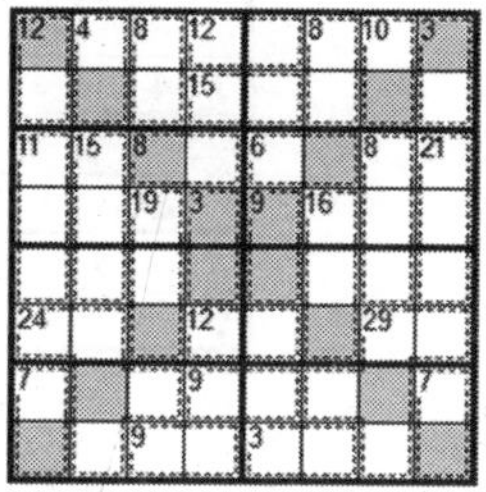

8x8

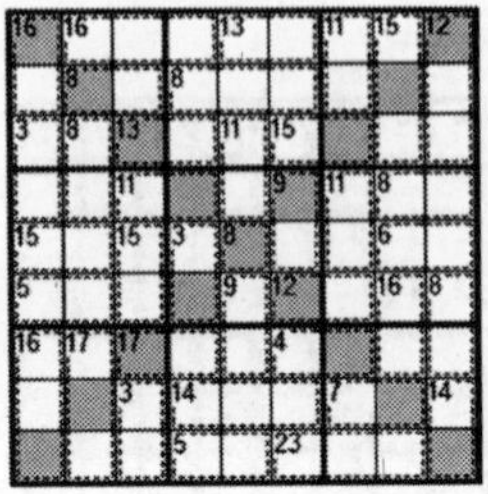

9x9

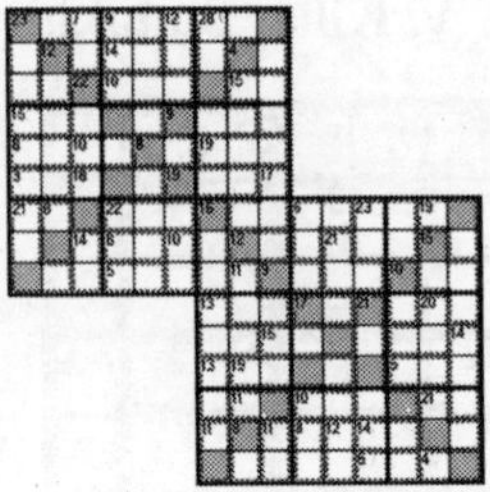

Multi2

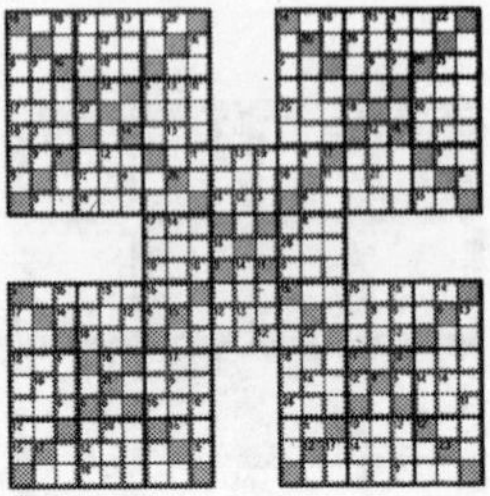

Samurai

VII. Irregular Sudoku

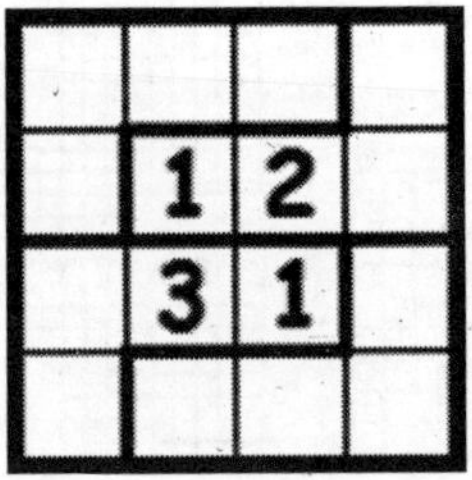

4x4

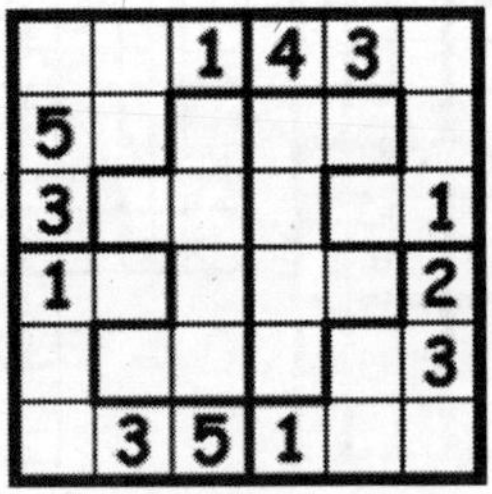

6x6

8x8

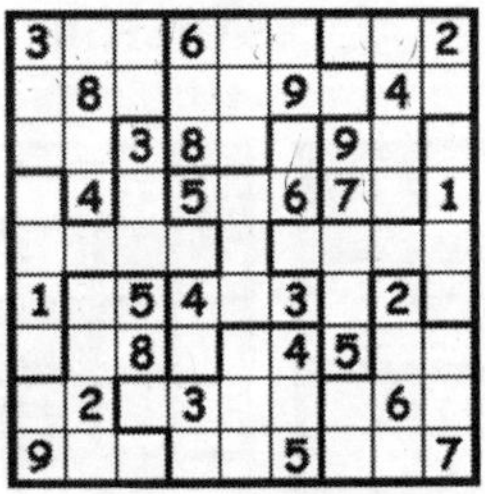

9x9

VIII. SUDOKU & SUDOKU X

It is the most common Sudoku variant, and a special case with extra regions is Sudoku X. Here there are two extra regions, the main diagonals, which give the puzzle the distinctive

X-shape. Because of these two extra regions, you need less givens in order to create a puzzle with one valid solution that can be reached without guesswork.

IX. 16 x 16 SUDOKU

This 16 X 16 Sudoku is with a larger grid than usual. The 16 x 16 grid contains 256 cells as compared to the 81 cells of normal Sudoku. In the case of this Sudoku the boxes are 4x4 in size, containing 16 cells, rather than 3x3. The puzzles may use numbers of quite often a combination of numbers and letters. These puzzles take a lot longer to solve than 9x9 Sudoku.

X. GREATER / LESS THAN SUDOKU

This Sudoku variant is Hutosiki but with the box constraint added back in. Inequalities are used to determine the relations between different cells. There are also variants where the inequalities are placed between the cells that are diagonally next to each other, not just horizontally or vertically.

XI. KILLER SUDOKU

Killer Sudoku is a significant variant of Vanilla Sudoku. It has no givens at all to start you off (apart from some kids killer Sudoku to make them easier). The row, column and box constraints remain, but the grid is divided into individual regions. You are told what those regions sum up to, and must use that to deduce where each number goes. As such addition is required, and the puzzle is often considered a cross between Sudoku and Kakuro.

XII. NON-CONSECUTIVE SUDOKU

This variant allows the creation of valid Sudoku with very few given cells, due to the significant constraint that adjacent cells cannot contain consecutive values. This is often used for circular Sudoku or puzzles displayed in that manner, particularly when the constraint applies to the edges top, bottom, left and right of the puzzle too.

XIII. SAMURAI STAR SUDOKU

This is a type of Samurai Sudoku that has much more tightly overlapping set of grids than orthodox Samurai puzzles. Rather than having one region overlap, these puzzles share a large number of regions between them. Thus one of the grids is fully embedded in the regions of the other four puzzles, given the grid its shape. This is also known in some places as Flower Sudoku.

HOW TO SOLVE A SUDOKU

Here is a guide for the absolute beginners. There are better and/or more elegant ways to solve a Sudoku, but here only a little overview is given; not the ultimate Sudoku guide.

Step 1:

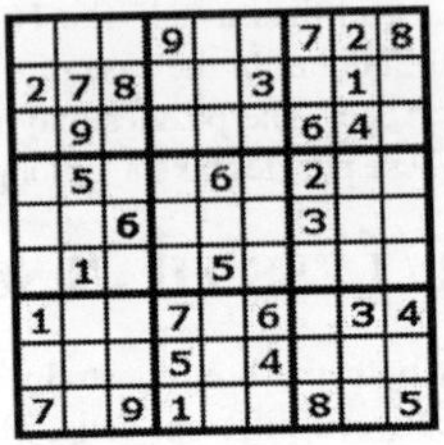

We have an example Sudoku. It is a Sudoku that falls under the level easy, but for the beginners, it will be enough. A possible place to begin such a puzzle is to search for a number which appears most frequently.

Step 2:

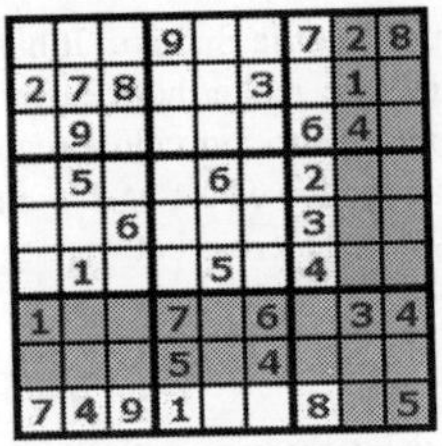

We start with 4 first. Now, we look for regions without a 4 and try to place 4 by the process of elimination. For this purpose, we identify which columns and rows contain a 4 because in the cells of these rows and columns, we can't put the 4. If there is only one possible place left in a region, we place the 4 there. That's how we got the two 4s in the picture. This strategy is named *cross-hatching*.

Step 3:

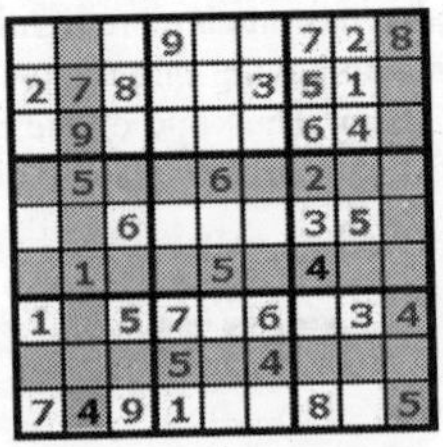

We repeat the cross-hatching with the number 5. This is even more effective than with the number 4 because we can place **three 5s**.

Step 4:

			9			7	2	8
2	7	8	6	4	3	5	1	9
	9					6	4	3
	5			6		2		
		6				3	5	
	1			5		4		
1		5	7		6	9	3	4
			5		4	1		
7	4	9	1			8		5

In this step we can now complete the rows, columns and regions with only two empty cells left. This is easy to do because for one cell of each two cell groups there is only one possible number left. Doing this now we will make cross-hatching and counting simpler in the next steps.

Step 5:

			9			7	2	8
2	7	8	6	4	3	5	1	9
	9					6	4	3
	5			6		2		
		6				3	5	
	1			5		4		
1		5	7		6	9	3	4
			5		4	1	7	2
7	4	9	1			8	6	5

At the lower left region we can't determine the exact position of the number 6, but we know into which row we have to put it **(the three red cells)**. Therefore we can now place the 6 in the lower right region. Then we can get the **7 and 2** like in step 4.

Step 6:

			9			7	2	8
2	7	8	6	4	3	5	1	9
	9					6	4	3
	5	7		6		2		
		6				3	5	
	1	2		5		4		6
1	2	5	7	8	6	9	3	4
			5	9	4	1	7	2
7	4	9	1			8	6	5

Now we can't find any more numbers by cross-hatching. That's why we try it with counting. We count regions, rows, and columns to identify the missing numerals for a cell. If we find a cell with only one possible number left after counting we place it into the cell. It is helpful to write little numbers into a cell to help memorise the findings of the counting. By counting, we got six numbers in this step.

Step 7:

			9			7	2	8
2	7	8	6	4	3	5	1	9
	9					6	4	3
	5	7		6		2		1
		6				3	5	7
	1	2		5		4		6
1	2	5	7	8	6	9	3	4
			5	9	4	1	7	2
7	4	9	1	3	2	8	6	5

In the same way as step 4 we can now complete a row and a column of our puzzle.

Step 8:

			9	1		7	2	8
2	7	8	6	4	3	5	1	9
5	9	1				6	4	3
	5	7		6		2		1
	8	6				3	5	7
	1	2		5		4		6
1	2	5	7	8	6	9	3	4
		3	5	9	4	1	7	2
7	4	9	1	3	2	8	6	5

We can find a few numbers in this step by counting like in step 6.

Step 9:

6	3	4	9	1	5	7	2	8
2	7	8	6	4	3	5	1	9
5	9	1	2	7	8	6	4	3
4	5	7	3	6	9	2	8	1
9	8	6	4	2	1	3	5	7
3	1	2	8	5	7	4	9	6
1	2	5	7	8	6	9	3	4
8	6	3	5	9	4	1	7	2
7	4	9	1	3	2	8	6	5

And now we have the solutions to the Sudoku. We skipped a few steps because there wasn't anything new in them but only repetitions of the other steps.

PUZZLES

Puzzle 1

★☆☆☆

	1			5			9	
	4					1		7
		9	4					5
			5		7	2		1
		2				6		
5		8	6		2			
9					5	7		
3		7					1	
	5			6			3	

Puzzle 2

★ ☆ ☆ ☆

	8		3					6
					6			1
			1	5		2	4	
		3			2			
4	2		5		8		6	9
			7			1		
	7	8		9	5			
2			6					
5					3		7	

PUZZLE 3

★☆☆☆

	2				6	1		
		9			3		5	
						6		8
	3	4	8		5	2		
7		2				8		6
		6	2		7	3	1	
2		7						
	1		4			9		
		3	9				6	

PUZZLE 4

★ ☆ ☆ ☆

	4	9	3		5	2		8
	7			8				
5		8	1			6		
		4						
3			7		8			4
						7		
		7			9	1		5
				2			7	
8		1	5		7	9	2	

Puzzle 5

★☆☆☆

		7	5	1			3	8
	3			7	8	5	6	9
9								
			1		4			
		5		9		8		
			7		5			
								2
6	7	3	8	2			4	
8	4			5	3	7		

Puzzle 6

★ ☆ ☆ ☆

					8	3		5
		5		4				9
4		8	3				2	
7					3			
2	1	3	4		5	9	7	8
			7					4
	4				1	8		7
3				9		6		
5		1	8					

PUZZLE 7

★☆☆☆

	9				3	7		
		3		6			5	
5		7	1				6	
1				2	9			
		2				9		
			5	7				1
	2				6	4		3
	3			8		6		
		4	2				8	

PUZZLE 8

★ ☆ ☆ ☆

	3			1				9
		2				5		
7			5	4	6		1	
			9		7		4	
				3				
	7		1		4			
	8		4	6	3			7
		4				6		
6				2			3	

PUZZLE 9

★☆☆☆

		4	7	6			8	5
	3				5			7
	6		9				2	
			3	5	9	8	7	
	8	5	1	7	6			
	5				7		1	
4			6				5	
8	7			2	1	9		

Puzzle 10

★☆☆☆

	4	8						
	2		4		6			
7	9		1	3				
				8		4		
2		1	5		3	7		8
		4		2				
				1	7		2	4
			9		2		6	
						3	5	

PUZZLE 11

★☆☆☆

	1			9	4			
9				6		1		5
	2				8		3	
4		9		3				
1								7
				2		4		3
	4		6				5	
3		7		4				2
			2	5			7	

PUZZLE 12

★ ☆ ☆ ☆

	8			1		4		2
			6				5	
	4	7		5	3	6		
					4	7		3
				2				
7		1	3					
		8	4	3		1	6	
	6				5			
4		9		7			2	

PUZZLE 13

★☆☆☆

1	9			3	7			
2					1	5		7
			2	5				
3		2	1					9
		1		9		3		
8					5	2		6
				7	6			
7		3	8					5
			5	2			7	1

Puzzle 14

★ ☆ ☆ ☆

2		7		4				
6		3			2			
1	4		5			3		
				7			9	5
			8		6			
7	1			2				
		5			4		2	1
			6			9		8
				3		5		7

PUZZLE 15

★☆☆☆

3	1	7					5	
		6			5	3		
	8				6			1
		5		1				
1				4				7
				3		1		
8			7				4	
		2	9			7		
	3					5	8	9

PUZZLE 16

★ ☆ ☆ ☆

5	9					2	6	4
2		4		6		7	8	
								5
			8	1			4	2
			5		7			
9	8			4	2			
1								
	4	2		8		5		3
8	5	9					1	6

PUZZLE 17

★☆☆☆

2			4	3		7	9	6
3								
	7			1			3	
8		7	2	4				
			7		6			
				8	1	6		2
	9			6			8	
								7
6	8	2		7	5			3

PUZZLE 18

★ ☆ ☆ ☆

5			7				2	
	1	6			8		7	
	2		5		4			
1								8
	4		8		2		1	
9								3
			4		6		8	
	5		9			7	4	
	3				7			5

PUZZLE 19

★☆☆☆

					3		8	1
		6	1	4				5
	5							
5	3				2		9	4
6	9		3				5	2
							2	
4				5	6	7		
9	6		4					

PUZZLE 20

★ ☆ ☆ ☆

		9	4		5			8
	3		2				7	
5						2		
			3	5			9	
2			8		1			7
	1			2	7			
		1						4
	7				6		3	
8			5		3	7		

PUZZLE 21

★☆☆☆

4	1				3	5	2	8
					8			
				2		1	4	
3							8	4
		4		3		9		
7	5							1
	3	1		8				
			3					
8	4	9	1				7	5

Puzzle 22

★☆☆☆

		6	3					2
	4				9		6	3
7				2		8		
				8		4	2	
				1				
	2	7		9				
		2		7				6
6	5		4				7	
9					2	3		

PUZZLE 23

★☆☆☆

		1		9	4		3	6
3	4			7				
								7
		4	1	6		3		8
				2				
2		8		3	7	4		
6								
				8			9	2
9	5		6	4		8		

SUDOKU NEW

PUZZLE 24

★ ☆ ☆ ☆

				5			3	2
				4			9	
					9		5	7
		9	7	3			2	
3								6
	2			9	1	7		
8	7		5					
	3			2				
9	6			7				

Puzzle 25

★☆☆☆

		5			1	2	8	
		1		5				9
8	4				2	1		
5			1	8			7	6
3	7			9	5			4
		3	7				9	1
4				1		7		
	1	7	5			6		

PUZZLE 26

★☆☆☆

					5	7		1
				1	2	9	8	4
	3	4	7					
				9		6		2
		1				8		
2		9		7				
					6	5	7	
4	9	6	5	2				
5		7	9					

Puzzle 27

★☆☆☆

5		7	4			6		
					5	8		
4			1		6		5	
	7			2		4		
2								8
		5		3			9	
	1		8		3			5
		2	9					
		8			1	9		4

PUZZLE 28

★ ☆ ☆ ☆

	3		8		5		7	
	5			7				
7			4	3				
		5				6	1	
4	6			2			5	7
	7	8				4		
				6	2			3
				9			8	
	9		5		7		4	

PUZZLE 29

★☆☆☆

2			9				6	3
		9	4	6	5	8		
				2	3	4		
		5					2	
			6	7	4			
	9					6		
		4	5	1				
		8	7	4	6	2		
6	5				8			1

PUZZLE 30

★ ☆ ☆ ☆

		5		9				3
1					7	4		
			1				7	
8	3		9			6		4
		1				8		
4		9			8		1	5
	8				1			
		2	6					7
5				8		3		

PUZZLE 31

★☆☆☆

2		4			6	1		
	8	7	3	1				
8			1			6		3
	4	3	6		2	5	7	
5		9			8			2
				6	7	8	5	
		8	9			3		7

PUZZLE 32

★☆☆☆

			8			7	1	
1		7						
6				4	7	5		
					9		4	
4		3	6		8	9		1
	7		4					
		6	9	1				5
						6		2
	3	5			2			

PUZZLE 33

★☆☆☆

					3	5		8
	3		1		6			
				4		3		6
8							9	7
	2		8		9		5	
6	5							1
7		6		2				
			9		1		8	
5		1	4					

PUZZLE 34

★ ☆ ☆ ☆

6		2	7					5
				2				7
4							1	
2					7	3		
		8		3		4		
		3	2					9
	9							8
1				4				
8					5	9		4

PUZZLE 35

★☆☆☆

8			4			2		
	3		6	8				
9							7	
6			3		8	4		7
		4				8		
5		8	2		9			3
	9							2
				2	1		8	
		2			4			9

Puzzle 36

★ ☆ ☆ ☆

		4	8	3	6		1	
		6			9			
7			1					
6		1	4					3
	5						9	
3					1	6		2
					7			5
			6			3		
	7		5	4	3	8		

PUZZLE 37

★☆☆☆

					3			9
			1				7	8
		6			8			
	3	9			5		6	7
4								5
5	7		6			3	2	
			8			1		
3	4				2			
9			7					

SUDOKU NEW

PUZZLE 38

★ ☆ ☆ ☆

		5			6	7		9
	4		3			2		
		9		4				
							8	1
2		4		9		3		6
7	9							
				6		4		
		2			5		1	
9		3	1			6		

PUZZLE 39

★☆☆☆

						5		
	8	2				3	7	
	4				7		6	8
	7				2			
2		1	4		5	6		9
			6				2	
4	1		3				5	
	5	3				8	4	
		9						

PUZZLE 40

★ ☆ ☆ ☆

			4		8	2	6	
2					3	5	9	
				2		3		
					6		1	
	5	8				6	7	
	7		1					
		5		6				
	1	3	2					4
	2	7	5		1			

SUDOKU NEW

PUZZLE 41

★☆☆☆

				E			I	A
				H			F	G
	E		G			B		
			H	I				D
C			E		B			I
H				D	A			
		I			F		D	
B	G			C				
D	F			B				

Puzzle 42

★☆☆☆

E		B			I		H	
A					E		G	
H			C			A		
G		A		E				
			G	F	B			
				I		G		F
		I			D			A
	A		I					G
	H		E			B		D

PUZZLE 43

★☆☆☆

F				B	D			
	B		H			F		
				I				G
	F		D				G	
D		A				C		H
	I				E		B	
E				D				
		B			F		I	
			I	A				D

Puzzle 44

★ ☆ ☆ ☆

	A	F			H			C
	B					E	I	
					I	D		
			B	C		G		
A								I
		C		D	E			
		G	H					
	I	A					F	
H			F			I	D	

PUZZLE 45

★☆☆☆

D	H		E				C	
A								I
			B	I			H	
			A			F		C
	D		G		F		B	
B		F			I			
	E			H	A			
C								E
	G				E		F	B

PUZZLE 46

★ ☆ ☆ ☆

C		B			H			
	H	F	D			I	C	
		E						H
F		C			G		D	
			B		D			
	D		A			G		F
G						F		
	C	A			F	D	G	
			I			C		A

PUZZLE 47

★☆☆☆

	F							
C			B			D	F	
G		H	E					
	A		D		H		B	
				I				
	D		C		G		E	
					B	F		E
	G	C			A			I
							G	

PUZZLE 48

★☆☆☆

						F	B	
	B	F		G				
C	E	H	B		I			D
		C		A	B			
		D				E		
			E	I		B		
I			F		C	D	H	A
				E		I	F	
	F	B						

SUDOKU NEW

PUZZLE 49

★☆☆☆

			D			F		
		A						I
				E	H			D
			F			H		G
C		E				I		A
H		F			C			
G			H	I				
A						E		
		D			B			

PUZZLE 50

★ ☆ ☆ ☆

					B		I	A
A	B				I			D
		E	A				F	G
	A			G		E		
				H				
		F		I			B	
B	G				C	I		
F			I				C	B
I	C		H					

SOLUTIONS

SOLUTION 1

★☆☆☆

7	1	3	2	5	6	8	9	4
2	4	5	3	8	9	1	6	7
8	6	9	4	7	1	3	2	5
6	3	4	5	9	7	2	8	1
1	7	2	8	4	3	6	5	9
5	9	8	6	1	2	4	7	3
9	2	6	1	3	5	7	4	8
3	8	7	9	2	4	5	1	6
4	5	1	7	6	8	9	3	2

SOLUTION 2

★☆☆☆

5	2	8	7	9	6	1	3	4
4	6	9	1	8	3	7	5	2
3	7	1	5	2	4	6	9	8
1	3	4	8	6	5	2	7	9
7	5	2	3	1	9	8	4	6
9	8	6	2	4	7	3	1	5
2	9	7	6	5	1	4	8	3
6	1	5	4	3	8	9	2	7
8	4	3	9	7	2	5	6	1

SOLUTION 3

★☆☆☆

1	8	5	3	2	4	7	9	6
7	4	2	9	8	6	5	3	1
3	6	9	1	5	7	2	4	8
9	1	3	4	6	2	8	5	7
4	2	7	5	1	8	3	6	9
8	5	6	7	3	9	1	2	4
6	7	8	2	9	5	4	1	3
2	3	4	6	7	1	9	8	5
5	9	1	8	4	3	6	7	2

SOLUTION 4

★☆☆☆

6	4	9	3	7	5	2	1	8
1	7	3	2	8	6	4	5	9
5	2	8	1	9	4	6	3	7
7	8	4	9	5	2	3	6	1
3	1	2	7	6	8	5	9	4
9	5	6	4	1	3	7	8	2
2	6	7	8	3	9	1	4	5
4	9	5	6	2	1	8	7	3
8	3	1	5	4	7	9	2	6

Solution 5

★☆☆☆

2	6	7	5	1	9	4	3	8
1	3	4	2	7	8	5	6	9
9	5	8	3	4	6	1	2	7
7	2	9	1	8	4	6	5	3
3	1	5	6	9	2	8	7	4
4	8	6	7	3	5	2	9	1
5	9	1	4	6	7	3	8	2
6	7	3	8	2	1	9	4	5
8	4	2	9	5	3	7	1	6

Solution 6

★☆☆☆

6	2	9	1	7	8	3	4	5
1	3	5	2	4	6	7	8	9
4	7	8	3	5	9	1	2	6
7	5	4	9	8	3	2	6	1
2	1	3	4	6	5	9	7	8
8	9	6	7	1	2	5	3	4
9	4	2	6	3	1	8	5	7
3	8	7	5	9	4	6	1	2
5	6	1	8	2	7	4	9	3

Solution 7

★☆☆☆

4	9	6	8	5	3	7	1	2
2	1	3	4	6	7	8	5	9
5	8	7	1	9	2	3	6	4
1	7	8	3	2	9	5	4	6
3	5	2	6	4	1	9	7	8
6	4	9	5	7	8	2	3	1
8	2	5	7	1	6	4	9	3
7	3	1	9	8	4	6	2	5
9	6	4	2	3	5	1	8	7

Solution 8

★☆☆☆

5	3	6	2	1	8	4	7	9
4	1	2	3	7	9	5	6	8
7	9	8	5	4	6	3	1	2
2	6	5	9	8	7	1	4	3
8	4	1	6	3	2	7	9	5
9	7	3	1	5	4	8	2	6
1	8	9	4	6	3	2	5	7
3	2	4	7	9	5	6	8	1
6	5	7	8	2	1	9	3	4

SOLUTION 9

★☆☆☆

1	9	4	7	6	2	3	8	5
2	3	8	4	1	5	6	9	7
5	6	7	9	3	8	1	2	4
6	4	2	3	5	9	8	7	1
7	1	3	2	8	4	5	6	9
9	8	5	1	7	6	4	3	2
3	5	9	8	4	7	2	1	6
4	2	1	6	9	3	7	5	8
8	7	6	5	2	1	9	4	3

SOLUTION 10

★☆☆☆

6	4	8	2	9	5	1	7	3
1	2	3	4	7	6	5	8	9
7	9	5	1	3	8	2	4	6
5	7	9	6	8	1	4	3	2
2	6	1	5	4	3	7	9	8
3	8	4	7	2	9	6	1	5
8	5	6	3	1	7	9	2	4
4	3	7	9	5	2	8	6	1
9	1	2	8	6	4	3	5	7

SOLUTION 11

★☆☆☆

5	1	6	3	9	4	7	2	8
9	8	3	7	6	2	1	4	5
7	2	4	5	1	8	6	3	9
4	7	9	1	3	5	2	8	6
1	3	2	4	8	6	5	9	7
8	6	5	9	2	7	4	1	3
2	4	8	6	7	9	3	5	1
3	5	7	8	4	1	9	6	2
6	9	1	2	5	3	8	7	4

SOLUTION 12

★☆☆☆

6	8	5	9	1	7	4	3	2
1	2	3	6	4	8	9	5	7
9	4	7	2	5	3	6	8	1
2	9	6	5	8	4	7	1	3
8	3	4	7	2	1	5	9	6
7	5	1	3	6	9	2	4	8
5	7	8	4	3	2	1	6	9
3	6	2	1	9	5	8	7	4
4	1	9	8	7	6	3	2	5

SOLUTION 13

★☆☆☆

1	9	5	4	3	7	6	8	2
2	3	4	6	8	1	5	9	7
6	8	7	2	5	9	1	3	4
3	5	2	1	6	8	7	4	9
4	6	1	7	9	2	3	5	8
8	7	9	3	4	5	2	1	6
5	1	8	9	7	6	4	2	3
7	2	3	8	1	4	9	6	5
9	4	6	5	2	3	8	7	1

SOLUTION 14

★☆☆☆

2	9	7	3	4	8	1	5	6
6	5	3	7	1	2	4	8	9
1	4	8	5	6	9	3	7	2
8	6	4	1	7	3	2	9	5
5	3	2	8	9	6	7	1	4
7	1	9	4	2	5	8	6	3
3	7	5	9	8	4	6	2	1
4	2	1	6	5	7	9	3	8
9	8	6	2	3	1	5	4	7

SOLUTION 15

★☆☆☆

3	1	7	4	2	8	9	5	6
2	4	6	1	9	5	3	7	8
5	8	9	3	7	6	4	2	1
9	6	5	8	1	7	2	3	4
1	2	3	5	4	9	8	6	7
4	7	8	6	3	2	1	9	5
8	9	1	7	5	3	6	4	2
6	5	2	9	8	4	7	1	3
7	3	4	2	6	1	5	8	9

SOLUTION 16

★★☆☆

5	9	3	1	7	8	2	6	4
2	1	4	3	6	5	7	8	9
7	6	8	2	9	4	1	3	5
3	7	5	8	1	9	6	4	2
4	2	6	5	3	7	8	9	1
9	8	1	6	4	2	3	5	7
1	3	7	4	5	6	9	2	8
6	4	2	9	8	1	5	7	3
8	5	9	7	2	3	4	1	6

Solution 17

★ ★ ☆ ☆

2	1	5	4	3	8	7	9	6
3	4	6	5	9	7	1	2	8
9	7	8	6	1	2	5	3	4
8	6	7	2	4	9	3	5	1
1	2	3	7	5	6	8	4	9
4	5	9	3	8	1	6	7	2
7	9	4	1	6	3	2	8	5
5	3	1	8	2	4	9	6	7
6	8	2	9	7	5	4	1	3

Solution 18

★ ★ ☆ ☆

5	8	3	7	6	9	1	2	4
4	1	6	2	3	8	5	7	9
7	2	9	5	1	4	8	3	6
1	6	2	3	7	5	4	9	8
3	4	5	8	9	2	6	1	7
9	7	8	6	4	1	2	5	3
2	9	7	4	5	6	3	8	1
6	5	1	9	8	3	7	4	2
8	3	4	1	2	7	9	6	5

Solution 19

★ ★ ☆ ☆

7	4	9	5	2	3	6	8	1
3	2	6	1	4	8	9	7	5
8	5	1	6	9	7	2	4	3
5	3	8	7	6	2	1	9	4
2	1	4	9	8	5	3	6	7
6	9	7	3	1	4	8	5	2
1	7	5	8	3	9	4	2	6
4	8	3	2	5	6	7	1	9
9	6	2	4	7	1	5	3	8

Solution 20

★ ★ ☆ ☆

6	2	9	4	7	5	3	1	8
1	3	4	2	6	8	5	7	9
5	8	7	1	3	9	2	4	6
7	6	8	3	5	4	1	9	2
2	4	3	8	9	1	6	5	7
9	1	5	6	2	7	4	8	3
3	5	1	7	8	2	9	6	4
4	7	2	9	1	6	8	3	5
8	9	6	5	4	3	7	2	1

Solution 21

★★☆☆

4	1	7	6	9	3	5	2	8
2	6	5	4	1	8	7	9	3
9	8	3	7	2	5	1	4	6
3	9	6	5	7	1	2	8	4
1	2	4	8	3	6	9	5	7
7	5	8	2	4	9	6	3	1
5	3	1	9	8	7	4	6	2
6	7	2	3	5	4	8	1	9
8	4	9	1	6	2	3	7	5

Solution 22

★★☆☆

5	8	6	3	4	7	9	1	2
2	4	1	8	5	9	7	6	3
7	9	3	1	2	6	8	5	4
1	6	9	7	8	3	4	2	5
8	3	5	2	1	4	6	9	7
4	2	7	6	9	5	1	3	8
3	1	2	9	7	8	5	4	6
6	5	8	4	3	1	2	7	9
9	7	4	5	6	2	3	8	1

Solution 23

★★☆☆

7	2	1	8	9	4	5	3	6
3	4	5	2	7	6	1	8	9
8	6	9	3	5	1	2	4	7
5	7	4	1	6	9	3	2	8
1	3	6	4	2	8	9	7	5
2	9	8	5	3	7	4	6	1
6	8	2	9	1	3	7	5	4
4	1	3	7	8	5	6	9	2
9	5	7	6	4	2	8	1	3

Solution 24

★★☆☆

1	9	6	8	5	7	4	3	2
7	5	3	1	4	2	6	9	8
2	4	8	3	6	9	1	5	7
6	8	9	7	3	4	5	2	1
3	1	7	2	8	5	9	4	6
4	2	5	6	9	1	7	8	3
8	7	4	5	1	3	2	6	9
5	3	1	9	2	6	8	7	4
9	6	2	4	7	8	3	1	5

Solution 25

★ ★ ☆ ☆

7	6	5	9	4	1	2	8	3
2	3	1	8	5	7	4	6	9
8	4	9	3	6	2	1	5	7
5	2	4	1	8	3	9	7	6
1	9	8	4	7	6	3	2	5
3	7	6	2	9	5	8	1	4
6	8	3	7	2	4	5	9	1
4	5	2	6	1	9	7	3	8
9	1	7	5	3	8	6	4	2

Solution 26

★ ★ ★ ☆

9	2	8	4	6	5	7	3	1
7	6	5	3	1	2	9	8	4
1	3	4	7	8	9	2	6	5
8	7	3	1	9	4	6	5	2
6	4	1	2	5	3	8	9	7
2	5	9	6	7	8	1	4	3
3	1	2	8	4	6	5	7	9
4	9	6	5	2	7	3	1	8
5	8	7	9	3	1	4	2	6

Solution 27

★ ★ ★ ☆

5	3	7	4	8	2	6	1	9
1	2	6	3	9	5	8	4	7
4	8	9	1	7	6	3	5	2
8	7	1	5	2	9	4	6	3
2	9	3	6	1	4	5	7	8
6	4	5	7	3	8	2	9	1
9	1	4	8	6	3	7	2	5
3	5	2	9	4	7	1	8	6
7	6	8	2	5	1	9	3	4

Solution 28

★ ★ ★ ☆

2	3	6	8	1	5	9	7	4
1	5	4	2	7	9	3	6	8
7	8	9	4	3	6	1	2	5
3	2	5	7	4	8	6	1	9
4	6	1	9	2	3	8	5	7
9	7	8	6	5	1	4	3	2
8	4	7	1	6	2	5	9	3
5	1	2	3	9	4	7	8	6
6	9	3	5	8	7	2	4	1

Solution 29

★★★☆

2	4	1	9	8	7	5	6	3
7	3	9	4	6	5	8	1	2
5	8	6	1	2	3	4	7	9
4	6	5	8	3	9	1	2	7
1	2	3	6	7	4	9	5	8
8	9	7	2	5	1	6	3	4
9	7	4	5	1	2	3	8	6
3	1	8	7	4	6	2	9	5
6	5	2	3	9	8	7	4	1

Solution 30

★★★☆

7	4	5	8	9	2	1	6	3
1	2	3	5	6	7	4	9	8
6	9	8	1	4	3	5	7	2
8	3	7	9	1	5	6	2	4
2	5	1	4	7	6	8	3	9
4	6	9	3	2	8	7	1	5
9	8	4	7	3	1	2	5	6
3	1	2	6	5	4	9	8	7
5	7	6	2	8	9	3	4	1

Solution 31

★★★☆

9	1	5	8	2	4	7	3	6
2	3	4	5	7	6	1	8	9
6	8	7	3	1	9	2	4	5
8	7	2	1	4	5	6	9	3
1	4	3	6	9	2	5	7	8
5	6	9	7	3	8	4	1	2
3	9	1	2	6	7	8	5	4
4	2	8	9	5	1	3	6	7
7	5	6	4	8	3	9	2	1

Solution 32

★★★☆

3	4	2	8	5	6	7	1	9
1	5	7	2	9	3	4	6	8
6	9	8	1	4	7	5	2	3
8	6	1	5	3	9	2	4	7
4	2	3	6	7	8	9	5	1
5	7	9	4	2	1	8	3	6
2	8	6	9	1	4	3	7	5
7	1	4	3	8	5	6	9	2
9	3	5	7	6	2	1	8	4

Solution 33

★★★☆

1	6	4	7	9	3	5	2	8
2	3	5	1	8	6	4	7	9
9	7	8	2	4	5	3	1	6
8	1	3	6	5	4	2	9	7
4	2	7	8	1	9	6	5	3
6	5	9	3	7	2	8	4	1
7	9	6	5	2	8	1	3	4
3	4	2	9	6	1	7	8	5
5	8	1	4	3	7	9	6	2

Solution 34

★★★☆

6	3	2	7	9	1	8	4	5
5	8	1	4	2	3	6	9	7
4	7	9	5	6	8	2	1	3
2	4	6	9	5	7	3	8	1
9	5	8	1	3	6	4	7	2
7	1	3	2	8	4	5	6	9
3	9	4	6	7	2	1	5	8
1	2	5	8	4	9	7	3	6
8	6	7	3	1	5	9	2	4

Solution 35

★★★☆

8	6	7	4	9	5	2	3	1
2	3	1	6	8	7	9	5	4
9	4	5	1	3	2	6	7	8
6	1	9	3	5	8	4	2	7
3	2	4	7	1	6	8	9	5
5	7	8	2	4	9	1	6	3
1	9	6	8	7	3	5	4	2
4	5	3	9	2	1	7	8	6
7	8	2	5	6	4	3	1	9

Solution 36

★★★★

5	2	4	8	3	6	9	1	7
1	3	6	2	7	9	5	4	8
7	8	9	1	5	4	2	3	6
6	9	1	4	2	5	7	8	3
2	5	7	3	6	8	1	9	4
3	4	8	7	9	1	6	5	2
8	6	3	9	1	7	4	2	5
4	1	5	6	8	2	3	7	9
9	7	2	5	4	3	8	6	1

SOLUTION 37

★★★★

8	1	4	2	7	3	6	5	9
2	5	3	1	6	9	4	7	8
7	9	6	5	4	8	2	3	1
1	3	9	4	2	5	8	6	7
4	6	2	3	8	7	9	1	5
5	7	8	6	9	1	3	2	4
6	2	7	8	5	4	1	9	3
3	4	5	9	1	2	7	8	6
9	8	1	7	3	6	5	4	2

SOLUTION 38

★★★★

3	2	5	8	1	6	7	4	9
1	4	7	3	5	9	2	6	8
6	8	9	7	4	2	1	3	5
5	3	6	4	2	7	9	8	1
2	1	4	5	9	8	3	7	6
7	9	8	6	3	1	5	2	4
8	5	1	2	6	3	4	9	7
4	6	2	9	7	5	8	1	3
9	7	3	1	8	4	6	5	2

SOLUTION 39

★★★★

3	6	7	2	4	8	5	9	1
1	8	2	5	6	9	3	7	4
9	4	5	1	3	7	2	6	8
5	7	6	9	8	2	4	1	3
2	3	1	4	7	5	6	8	9
8	9	4	6	1	3	7	2	5
4	1	8	3	2	6	9	5	7
6	5	3	7	9	1	8	4	2
7	2	9	8	5	4	1	3	6

SOLUTION 40

★★★★

5	3	1	4	9	8	2	6	7
2	6	4	7	1	3	5	9	8
7	8	9	6	2	5	3	4	1
3	9	2	8	7	6	4	1	5
1	5	8	9	3	4	6	7	2
4	7	6	1	5	2	9	8	3
8	4	5	3	6	7	1	2	9
6	1	3	2	8	9	7	5	4
9	2	7	5	4	1	8	3	6

SOLUTION 41

★★★★

G	H	B	F	E	C	D	I	A
A	D	C	B	H	I	E	F	G
I	E	F	G	A	D	B	C	H
F	B	E	H	I	G	C	A	D
C	A	D	E	F	B	G	H	I
H	I	G	C	D	A	F	B	E
E	C	I	A	G	F	H	D	B
B	G	A	D	C	H	I	E	F
D	F	H	I	B	E	A	G	C

SOLUTION 42

★★★★

E	G	B	F	A	I	D	H	C
A	C	D	B	H	E	F	G	I
H	I	F	C	D	G	A	E	B
G	F	A	D	E	C	I	B	H
I	D	H	G	F	B	C	A	E
B	E	C	A	I	H	G	D	F
C	B	I	H	G	D	E	F	A
D	A	E	I	B	F	H	C	G
F	H	G	E	C	A	B	I	D

SOLUTION 43

★★★★

F	C	H	G	B	D	I	A	E
I	B	G	H	E	A	F	D	C
A	E	D	F	I	C	B	H	G
B	F	E	D	C	H	A	G	I
D	G	A	B	F	I	C	E	H
H	I	C	A	G	E	D	B	F
E	A	I	C	D	G	H	F	B
C	D	B	E	H	F	G	I	A
G	H	F	I	A	B	E	C	D

SOLUTION 44

★★★★

I	A	F	D	E	H	B	G	C
C	B	D	A	F	G	E	I	H
E	G	H	C	B	I	D	A	F
F	E	I	B	C	A	G	H	D
A	D	B	G	H	F	C	E	I
G	H	C	I	D	E	F	B	A
B	F	G	H	I	D	A	C	E
D	I	A	E	G	C	H	F	B
H	C	E	F	A	B	I	D	G

Solution 45

★★★★

D	H	I	E	A	G	B	C	F
A	B	C	D	F	H	E	G	I
G	F	E	B	I	C	D	H	A
H	I	G	A	B	D	F	E	C
E	D	A	G	C	F	I	B	H
B	C	F	H	E	I	G	A	D
F	E	B	I	H	A	C	D	G
C	A	D	F	G	B	H	I	E
I	G	H	C	D	E	A	F	B

Solution 46

★★★★

C	I	B	G	A	H	E	F	D
A	H	F	D	B	E	I	C	G
D	G	E	F	C	I	B	A	H
F	B	C	H	I	G	A	D	E
E	A	G	B	F	D	H	I	C
I	D	H	A	E	C	G	B	F
G	E	I	C	D	A	F	H	B
B	C	A	E	H	F	D	G	I
H	F	D	I	G	B	C	E	A

Solution 47

★★★★

D	F	B	G	A	C	E	I	H
C	E	A	B	H	I	D	F	G
G	I	H	E	D	F	C	A	B
E	A	G	D	F	H	I	B	C
B	C	F	A	I	E	G	H	D
H	D	I	C	B	G	A	E	F
A	H	D	I	G	B	F	C	E
F	G	C	H	E	A	B	D	I
I	B	E	F	C	D	H	G	A

Solution 48

★★★★

G	D	I	A	C	E	F	B	H
A	B	F	D	G	H	C	E	I
C	E	H	B	F	I	A	G	D
E	I	C	G	A	B	H	D	F
B	A	D	C	H	F	E	I	G
F	H	G	E	I	D	B	A	C
I	G	E	F	B	C	D	H	A
D	C	A	H	E	G	I	F	B
H	F	B	I	D	A	G	C	E

Solution 49

★ ★ ★ ★

B	C	H	D	G	I	F	A	E
E	D	A	B	C	F	G	H	I
F	I	G	A	E	H	C	B	D
D	A	I	F	B	E	H	C	G
C	B	E	G	H	D	I	F	A
H	G	F	I	A	C	D	E	B
G	E	C	H	I	A	B	D	F
A	F	B	C	D	G	E	I	H
I	H	D	E	F	B	A	G	C

Solution 50

★ ★ ★ ★

H	F	G	D	E	B	C	I	A
A	B	C	G	F	I	H	E	D
D	I	E	A	C	H	B	F	G
C	A	I	B	G	F	E	D	H
E	D	B	C	H	A	F	G	I
G	H	F	E	I	D	A	B	C
B	G	A	F	D	C	I	H	E
F	E	H	I	A	G	D	C	B
I	C	D	H	B	E	G	A	F

HINDI LITERATURE

MUSIC/MYSTERIES/MAGIC & FACT

Also Available in Hindi

TALES & STORIES

NEW All Books Fully Coloured

CHILDREN TALES

BANGLA LANGUAGE

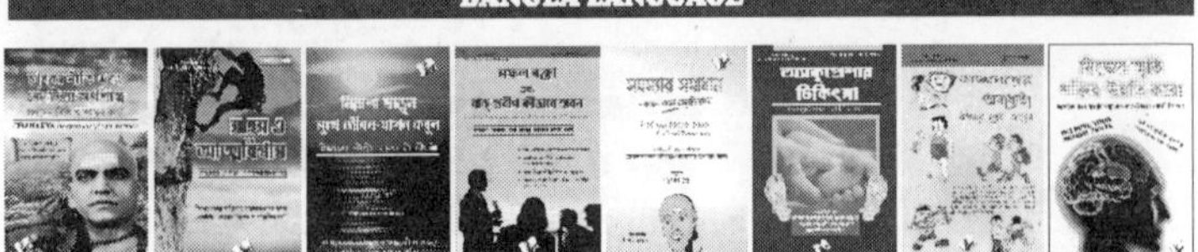

All books available at www.vspublishers.com